DWY STORI HURT BOST

Dwy Stori Hurt Bost

Bethan Gwanas

Argraffiad Cyntaf — Mawrth 2010

ISBN 978 0 86074 259 3

Mae'r cyhoeddwyr yn cydnabod cefnogaeth ariannol Cyngor Llyfrau Cymru.

Cyhoeddwyd gan
Wasg Gwynedd, Pwllheli

Diolch yn fawr i ddisgyblion Ysgol Gyfun Llanhari am roi genedigaeth i'r Llyffantod Nintendo. Ro'n i wedi gofyn am eu hoff eiriau Cymraeg, ac roedd 'llyffant', 'llysnafeddog', 'bwgan brain', 'mynyddoedd' a 'sblendigedig' yn eu mysg. Dyna egluro o ble daeth y syniad, a pham mod i wedi defnyddio'r gair 'llyffant' yn hytrach na 'broga'!

Ac er eu bod yn Ysgol Eifionydd bellach, diolch i ddisgyblion Ysgol y Gorlan, Tremadog, am roi'r syniad o ewyrth gwallgo a'i ddyfeisiadau hurt i mi. Ydach chi'n cofio i mi addo sgwennu'r stori ryw ben? Dwi wedi cadw at fy ngair . . .

Gan mod i'n teimlo'n hael, gwell diolch i Daniel Roberts am roi ei big i mewn hefyd!

B.G.

Cynnwys

Y Llyffantod Nintendo

Shwmâi! Geraint ydw i, ac odw, wi'n bishyn. Wel, 'na beth mae Mam wastod yn gweud wrtho i ta beth. Pan fydda i'n gadael yr ysgol a dechre ware i'r Gweilch, bydd y merched i gyd moyn mynd mas 'da fi. So nhw moyn mynd mas 'da fi ar hyn o bryd, wi'n cyfadde, ond maen nhw bach yn slow rownd ffordd hyn.

Ond nage 'na o'n i moyn weud wrthoch chi. Mae 'da fi stori i chi, rhywbeth ddigwyddodd i fi go iawn pan o'n i'n ddeuddeg oed. Efallai na fyddwch chi'n credu gair, ond 'na fe, ma fe lan i chi. Sa i'n gallu fforso chi. Ond ma fe'n wir pob gair, gyfeillion!

Sa i wedi gweud y stori hon wrth neb hyd nawr. Dim ond un person arall sy'n gwbod, a Ffion yw honno. Roedd hi yno gyda fi. Ie, merch. Sda fi ddim ffrindiau eraill sy'n ferched, ond mae Ffion yn wahanol. A gweud y gwir, mae hi'n nyts, neu'n 'hollol wallgo' fel bydde hi'n weud. Mae ei theulu hi'n rîli Cymraeg – pawb ag enwe rîli, rîlî Cymraeg fel Elliw a Gwydion (a dim ond y cathod yw'r rheiny!) ac maen nhw wastod yn gwylio S4C. Felly mae hi'n gwbod y geiriau Cymraeg cywir i gyd, a wastod yn fy nghywiro i. Er enghraifft, hi ddysgodd fi i weud hynna – 'er enghraifft' yn lle 'ffôr egsampl' a 'cywiro' yn lle 'correcto'. A fydde hi byth yn gweud 'rîli Cymraeg', ond rhywbeth fel 'ofnadwy o Gymreigaidd'. Ond dyw hi ddim yn swot, mae hi jest yn rîli Cymraeg. Ac yn nyts.

Ei syniad hi oedd rhedeg bant. Mae hi wastod yn cael syniade gwallgo fel'na. Unwaith, fe benderfynodd hi y bydde'n syniad da i ni roi *makeover* i'w hamster hi. Fe fuon ni'n torri blew yr hamster druan gyda siswrn torri ewinedd, nes ei fod e'n edrych fel croes rhwng pŵdl a llygoden fawr, ac wedyn buodd hi'n ceisio rhoi lipstic ar ei geg e. Ond fe redodd yr hamster y tu ôl i'r rhewgell, lle buodd e'n bwyta lipstic mam Ffion am ddeuddydd nes bod dim ar ôl. Oedd 'da fe'r ryns am ddyddie wedi 'ny!

Dro arall, pan oedd hi tua wyth oed, penderfynodd Ffion ei bod hi isie bod yn aderyn. Wel, isie hedfan fel aderyn, ta beth. Ces i fy ngorfodi ganddi (ac mae hi'n rîli bosi hefyd) i'w helpu i wneud adenydd mas o hen gyrtens a darnau o bren balsa, a pharasiwt (rhag ofn) mas o ddillad gwely. Wedyn ei helpu i ddringo lan coeden gyda'r stwff 'ma i gyd. Wedi strapo'r adenydd mlaen gyda felcro, a stwffo'r 'parasiwt' lawr cefn ei jympyr, gwaeddodd hi 'Geronimo!' – a neidio. Buodd ei choes hi mewn plaster am wythnose.

Byddech chi'n disgwyl iddi gallio wrth fynd yn henach, ond mae Ffion jest yn mynd yn fwy nyts. Y tro hyn, y tro wi am weud wrthoch chi amdano, roedd yr ysgol wedi cau am yr haf. Roedd Ffion wedi cael ffrae fawr gyda'i mam eto (mae'n digwydd yn aml, ond mae ei mam hi'n athrawes, felly beth chi'n ddisgwyl?) ac ro'n i wedi bod yn achwyn bod dim byd yn digwydd yn Llantrisant.

'Ger,' meddai hi, 'ti'n iawn, yn llygad dy le. Sdim byd i'n cadw ni fan hyn, felly bant â ni!'

'Y? Bant i le, Ffion?'

'Y mynyddoedd!'

'Beth? Mountain Ash?'

'Nage'r twmffat! Eryri! Lle mae'r Wyddfa a'i chriw! Y mynydd uchaf yng Nghymru! God, Ger, falle bo ti'n bishyn ond ti mor dwp weithie.'

Wedes i ei bod hi'n nyts, ondofe? Snowdonia yw Eryri, rhywle reit lan yn y gogs! Llawer, llawer pellach nag Aberhonddu – ac Aberystwyth, hyd yn oed! Ac roedd hi jest moyn i ni baco rycsacs a hitsho yno!

‘’Naf fi ddod â phabell,’ meddai hi, a’i llygaid yn sgleino. ‘Dere di â sach gysgu a . . . a bwyd . . . a llwyth o arian! A paid â gweud gair wrth neb.’

‘Ond ddylen ni weud wrth ein rhieni . . .’

‘Na! Gallwn ni decsto nhw nes mlaen os ti moyn – pan fydd hi’n rhy hwyr iddyn nhw’n stopo ni! Wela i di man hyn mewn awr!’ Ac i ffwrdd â hi, yn rhedeg fel milgi am gartre.

Cerdded yn araf am y tŷ wnes i, a mhen yn troi. Arian? Dim ond £10 oedd ’da fi ar ôl o fy arian pen-blwydd. Ac mae hitsho’n beryglus. Dyw cysgu mewn pabell yn Eryri ddim yn ddiogel iawn chwaith – nid mewn storom. Roedd hi wedi dechre bwrw glaw felly mae’n rhaid ei bod hi’n pisho lawr yn y gogs. Ond am ryw reswm, wi wastad yn gwneud beth mae Ffion moyn. Sda fi ddim dewis, rhywsut. Menyw fel’na yw hi. Penderfynol. Stwbwrn fel mul. Ond ro’n i’n gwrthod hitsho, felly fe ddalion ni’r bws. Ond doedd gyda ni ddim digon o arian i fynd yr holl ffordd i’r gogledd.

Bedair awr yn ddiweddarach, roedden ni’n dau’n wlyb stecs mewn rhyw dwll o le o’r enw Rhaeadr – sy’n bell iawn, iawn o’r gogledd ac o’r Wyddfa. Edrychwch ar y map os nag ych chi’n credu fi! O leia roedd toilede cyhoeddus yno, lle roedden ni'n gallu treial sychu rhywfaint dan yr *hand-dryers*. Ro'n i rîli moyn mynd adre; doedden ni byth yn mynd i gyrraedd yr Wyddfa cyn iddi nosi, a dim ond £1.75 oedd 'da fi ar ôl. Ond chredwch chi byth: roedd Ffion wedi dechre siarad 'da rhyw fenyw yn y bogs, menyw oedd yn nabod ei mam-gu hi, a phan wedodd Ffion ein bod ni wedi colli'r bws o Rhaeadr, wedodd hi, 'Mi alla i fynd â chi cyn belled â Dolgellau. Fysa hynna'n help?'

Awr a hanner yn ddiweddarach, roedden ni'n codi llaw ar y fenyw yng nghanol fflipin nunlle. Wir nawr, doedd dim byd 'na, dim ond toilede a rhyw dafarn lan y ffordd a honno wedi cau. Roedd Ffion wedi gweud ein bod ni am wersylla ar ryw fynydd o'r enw Cader Idris, a'r fenyw wedi gweud bod llwybr i fyny'r mynydd yn dechre fan hyn.

'Sblendigedig!' meddai Ffion. 'Ni wedi cyrraedd Eryri, Ger! Nid yr Wyddfa falle, ond mae Cader Idris yn wompyn o fynydd hefyd. Iawn, dere i ni ddechre ddringo!'

'Beth? Nawr?'

'Ie Ger, i ni gael dod o hyd i rywle da i osod y babell cyn iddi dywyllu. Iawn, mae'r arwydd yn gweud ffordd hyn . . .' Ac i ffwrdd â hi eto, a'i rycsac (oedd bron yn fwy na hi) ar ei chefn.

Nawr, wi'n ware rygbi (maswr, diolch yn fawr), felly wi'n fachan eitha ffit. Ond roedd dringo lan y fflipin mynydd 'na bron â'n lladd i. Chwysu? Fel mochyn mewn *sauna*. Roedd fy rycsac i'n pwyso tunnell ac yn gwneud dolur i fy sgwydde i. Mlaen a mlaen â ni drwy'r coed a heibio afon, lan a lan cant a mil o stepie nes bod fy nghoese i'n sgrechen. Mae pwy bynnag sy'n gweud bod dringo mynyddoedd yn bleser yn dwmffat twpach na thwp. Bron mor dwp â'r defaid twp oedd yn edrych arna i fel tasen i'n *alien* neu rywbeth. Iawn iddyn nhw ddringo mynyddoedd – mae 'da nhw bedair coes, on'd oes e?

O'r diwedd, gwaeddodd Ffion i lawr o rywle:

'Ger! Mae fe'n sblendigedig! Mas o'r byd hwn! Mas o'r bydysawd!'

Beth? Ond ro'n i'n rhy flinedig i ateb. Ro'n i'n cael digon o broblem treial anadlu. Llusgais fy hun lan ati. Roedd hi'n gwenu fel ffŵl ac yn pwyntio at ryw lyn.

'Llyn? Mae *llyn* ar dop y mynydd?' gofynnais.

'Nage hwn yw'r copa, y lembo – edrych!'

O mai god! Roedd mynydd mawr arall uwch ein

pennau ni. Ond ro'n i wedi dringo lan un mynydd yn barod!

'Mae'n rhaid taw Llyn Cau yw hwn,' meddai Ffion. 'Wedodd y fenyw bod llyn hanner ffordd, 'ndo fe?'

Mae'n rhaid taw cysgu o'n i ar y pryd. HANNER FFORDD?!

'On'd yw e'n hyfryd?' meddai hi wedyn.

'Sa i'n gwybod. Wi jest moyn eistedd,' meddwn i, a disgyn ar fy mhen-ôl yn y gwair.

Ar ôl Mars bar a chan o Fanta ro'n i'n teimlo'n fyw eto, ac edryches i ar y llyn. Waw. Oedd, roedd e'n eitha sblendigedig – glas tywyll, a diemwntau bach arian lle roedd yr haul yn disgleirio arno fe. Y? Fi wedodd hynna? Fflipin hec, fi'n *poet* – sori, bardd.

Roedd Ffion wedi dod â'i chamera digidol gyda hi ac yn snapo popeth fel twrist o Japan.

'Iawn,' meddai hi ar ôl sbel, 'bant â ni 'te?'

'Beth? Yn barod? Ond mae ngoese i'n dal fel jeli!'

'So ti moyn cyrraedd y copa?'

'Odw, ond bydde'n well 'da fi sefyll hyd bore fory. So ti'n credu y bydde man hyn yn le da i osod pabell?'

Weithie (ond dim ond weithie) wi'n llwyddo i ga'l Ffion wrando arna i. A'r tro hyn, wedi iddi edrych o'i chwmpas, roedd hi'n gorfod cytuno. Roedd e'n le perffaith i osod pabell.

Awr yn ddiweddarach, roedd y babell lan ac roedd Ffion a fi'n dal i siarad 'da'n gilydd (jest abowt). Dyw hi na fi wedi rhoi pabell lan heb help gan ein tadau o'r blaen, ac roedd hi wedi colli'r cyfarwyddiade ('instrycshions' i chi a fi). A phan welodd hi pa fwyd ro'n i wedi dod 'da fi, rhowliodd ei llygaid rownd a rownd fel pys mewn wok.

'Pot Noodle?! A shwd ŷn ni'n mynd i ferwi dŵr i'w wneud e, Ger?'

'Ym . . .' O ie, do'n i ddim wedi meddwl am 'ny. Edrychais ar y caniau ffa pob oedd yng ngwaelod y bag. Fydde dim modd cynhesu'r rheiny chwaith, felly.

'Mae ffa pob yn neis iawn yn oer, wi'n credu,' gwenais.

'O, Ger . . .'

'Creision caws a winwns, 'te?' gofynnais gan estyn paced iddi. Lwcus mod i wedi dod â *family pack*.

Ar ôl gwledd o greision, siocled a Cheestrings, buon ni'n edrych ar y llunie ar ei chamera ac yn siarad am sbel. Ond erbyn hynny ro'n i'n dechre diflasu.

'Trueni na fydden i wedi dod â fy Nintendo gyda fi,' meddwn.

'So'r olygfa a nghwmni i'n ddigon diddorol i ti?' gofynnodd Ffion.

'Na, ddim rîli.'

'O diolch yn fawr, twmffat!'

Buodd hi'n sylco wedyn (ond 'pwdu' fydde hi'n

weud, nid 'sylco', a bydde hi byth yn cyfadde taw pwdu/sylco oedd hi, ta beth), a'r ddau ohonon ni'n edrych mas ar yr haul yn machlud a'r awyr yn troi'n oren, coch a phinc.

'Edrych!' meddai hi'n sydyn, 'mae rhywun yn dod i lawr o'r copa!'

Oedd, roedd dyn yn cerdded i lawr – wel, rhedeg i lawr, o'r mynydd.

'Bachan ffit,' meddwn.

Ond wrth iddo ddod yn agosach, doedd e ddim yn edrych fel mynyddwr i mi. A bod yn onest, roedd e'n edrych yn debycach i fwgan brain – gwallt hir, anniben oedd angen ei olchi, a dillad salw, brwnt, fel trempyn. Ac roedd e'n cerdded tuag aton ni. AAAAA!

'Ffion, sa i'n lico'i olwg e,' sibrydais. 'Falle dylen ni . . .'

Rhy hwyr. Roedd e'n rhy agos i ni feddwl rhedeg bant.

'Noswaith dda,' meddai'r dyn bwgan brain yn gwrtais iawn. Gog oedd e.

'Ym . . . noswaith dda,' medden ni'n dau.

'Cymry ydach chi? Reit dda!' chwarddodd. 'Meddwl treulio'r nos yma ydach chi? Ond dach chi'n gwbod am y chwedl, tydach?'

'Nagy'n. Pa chwedl?' gofynnodd Ffion.

'Wel, maen nhw'n deud y bydd unrhyw un sy'n treulio'r nos ar y Gader yn deffro fore trannoeth un ai'n fardd, yn wallgo neu'n farw!'

'Fyddech chi ddim yn deffro tasech chi'n farw,' meddwn i'n syth.

'Ew, reit dda rŵan!' chwarddodd eto. 'Bardd fyddi di, mae'n siŵr.'

'Odych *chi* wedi treulio'r nos yma, 'te?' gofynnodd Ffion.

'Do, ganwaith 'sti. Dwi'n byw a bod yma. Nabod y lle fel cefn fy llaw. Does ganddoch chi'm ffasiwn beth â phanad i ddyn sychedig, mae'n siŵr?'

'Sori, dim tegil,' meddai Ffion gan edrych yn gas arna i.

'Y? Beth fydde pwynt dod â thegil?' meddwn. ''Sdim trydan 'ma, oes e?!'

'Wel diawch, fel mae'n digwydd, mae gen i stof fechan . . .' meddai'r dyn bwgan brain gan dynnu'i fag brown, brwnt oddi ar ei gefn. Tynnodd stof nwy fechan mas ohono.

'Gawn ni banad rŵan os ei di i nôl dŵr o'r ffos acw,' meddai wrtha i.

Ugain munud yn ddiweddarach, roedden ni'n tri'n yfed te ac yn bwyta Pot Noodle. Doedd e erioed wedi blasu shwd beth o'r blaen (ife deinosors sy'n byw yn y gogs?), ond roedd e'n lico fe. Ac wedyn dechreuodd e ddangos i ni beth oedd ’da fe yn ei fag. Yng nghanol y cregyn, y cerrig a’r darne o bren siâp rhyfedd, roedd ’da fe Nintendo! Ac roedd e’n gweithio!

‘Cymrwch o,’ meddai.

‘Beth?’ meddai Ffion. ‘Na, allen ni byth.’

‘Duwch, dowch ’laen! Fydda i byth yn ’i ddefnyddio fo. Cymrwch o’n anrheg i dalu am y stwff Not Poodle ’na.’

‘Iawn! Diolch yn fawr iawn i chi!’ meddwn i’n syth, er bod Ffion yn treial pinsio fy mraich.

'Croeso,' meddai gan godi ar ei draed. 'Well i mi fynd rŵan. Diolch eto am y wledd a'ch cwmni. Ond cofiwch,' meddai, gan edrych i fyw fy llygaid, 'y rheol bwysicaf un i bawb sy'n cerdded yn y mynyddoedd ydi hon – peidiwch â gadael sbwriel ar eich holau! Ddylech chi byth adael dim byd ar ôl ar y mynyddoedd hyfryd 'ma – dim ond ôl eich traed, wrth gwrs.'

'Wrth gwrs,' medden ni'n dau yn syth, a chodi llaw arno wrth iddo ddiflannu i lawr y mynydd. Aeth e o'r golwg yn gyflym iawn am ei bod hi wedi tywyllu mor sydyn, siŵr o fod.

'Boi od,' meddai Ffion. 'A shwd ma fe'n gallu gweld y llwybr yn y tywyllwch?'

'Bwyta lot o foron, mae'n rhaid. Oedd e'n garedig iawn, ta beth. Nintendo?! Sblendigedig!'

'O, Geraint,' ochneidiodd Ffion. 'Plis paid ware â fe nawr.'

'Pam lai?'

'Plis?'

Wel . . . mae gyda hi ffordd o edrych ar rywun gyda'i llygaid mawr brown, felly fe gytunais i'w adael tan y bore. Roedd angen cael trefn ar y sache cysgu a'n sgidie a'n bwyd cyn setlo i gysgu, ta beth. A droies i nghefn wrth i Ffion dynnu'i jîns cyn dringo i mewn i'w sach gysgu. Fi'n *gentleman* – sori, bonheddwr – chi'n gweld.

Sa i'n credu i ni gysgu llawer. Roedd y ddaear mor anghyfforddus a doedd ein matresi sbwng ni ddim yn rhai da iawn. Wi wedi gweld *toasted sandwiches* tewach. A ganol nos, fe gododd gwynt anhygoel o gryf nes bod y babell yn fflapian yn swnllyd. O leia wnaeth hi ddim bwrw glaw – oedd yn beth da, achos ro'n i wedi gadael fy sgidie tu fas.

Pan oedd hi'n rhy dwym yn y babell i mi allu godde mwy, a'r gole'n fy nallu drwy'r defnydd tenau, penderfynais ei bod hi'n amser codi.

'Iyffach! Dim ond 6.15 yw hi!' ochneidiodd Ffion.

Ie wel, sda fi ddim oriawr. Agorais sip y babell, beth bynnag, a gweld awyr las, las. Roedd yn fore hyfryd!

'Os ti moyn bod yn un 'da natur, rhaid codi gyda'r wawr, Ffion fach!'

Ar ôl cael creision, Fanta a siocled i frecwast, dyma dynnu'r babell i lawr a stwffo popeth yn ôl mewn i'r rycsac. Ond roedd mwy ohono fe nawr am ryw reswm.

'Cofia ddodi'r bag sbwriel yn dy rycsac hefyd,' meddai Ffion, gan fynd yn ei blaen i dynnu rhagor o lunie. Beth?! Y Pot Noodles a'r caniau ffa pob gwag, drewllyd, a'r caniau Fanta i gyd? Doedd gyda fi ddim lle – a beth bynnag, roedd fy mag i'n ddigon trwm yn barod, ac roedd 'da fi gopa i'w ddringo. Wedi gofalu nad oedd Ffion yn edrych, stwffes i'r cyfan mas o'r golwg o dan rhyw wrych. Nele fe ddim drwg i neb man 'ny.

Er bod fy nghoese fel jeli, roedd cyrraedd y copa yn brofiad ffantastic. Roedd hi mor glir nes mod i'n gallu gweld am filltiroedd – y môr, yr Wyddfa, bob man – a do'n i ddim wedi sylweddoli tan nawr bod Cymru mor hardd. Wir, mae'n anhygoel. Chi'n gwybod y lluniau chi wedi'u gweld o'r Alpau a'r Andes? Wel, mae Cymru yr un mor dlws. Ac am ein bod ni yno mor gynnar, doedd neb arall yno – ni oedd berchen y copa! Aeth Ffion yn nyts 'da'i chamera, a bant â hi i snapo pob modfedd o'r lle. Eistedd i lawr wnes i, ac wedi i mi orffen Mars bar arall, tynnes i'r Nintendo mas.

Roedd e'n eitha araf a braidd yn henffasiwn, ond roedd y batris yn llawn ac roedd e'n gweithio. Ro'n i'n lladd bwystfilod a ffrwydro UFOs yn hapus pan glywes i sgrech.

'GERAINT! HELP! HE-EELP!'

Neidiais ar fy nhraed a rhedeg i gyfeiriad llais

Ffion. Oedd hi wedi llithro? Oedd hi'n hongian gerfydd ei bysedd uwchben dibyn serth? Un peth oedd yn sicr – roedd hi mewn trwbl ac roedd arni f'angen i! Ond pan welais pam roedd hi'n sgrechen, allwn i ddim credu fy llygaid.

Roedd hi'n rhedeg fel y gwynt, ac roedd rhywbeth anhygoel, rhywbeth erchyll, yn rhedeg – wel, yn llamu – ar ei hôl hi! Math o lyffant neu froga oedd e, un enfawr, maint eliffant, ac roedd e'n wyrdd a phinc, ac yn sleimi.

'GERAINT! RHEDA!'

Ond ro'n i wedi rhewi yn fy unfan a ngheg i fel ogof. Roedd rhywbeth yn gyfarwydd am y llyffant llysnafeddog hwn . . . O MAI GOD! Doedd e ddim yn bosib! Oedd! Roedd un o'r bwystfilod yn y Nintendo yn gwmws 'run fath ag e! Edrychais ar y sgrin. Roedd llyffant yn ymosod ar y person bychan ar y sgrin . . . person oedd â gwallt hir mewn cynffon – yn gwmws fel Ffion!

Edrychais yn ôl ar y Ffion go iawn. Roedd y llyffant bron iawn â'i dal hi. Beth allen i wneud? Roedd pentwr bach o gerrig ar y llawr o nghwmpas i – allen i daflu'r rheiny, ond pa wahaniaeth fydden nhw'n ei wneud i anghenfil mor anferthol? Edrychais ar y Nintendo . . . tybed? Gyda fy nwylo'n crynu [illegible] y botymau, saethais tuag at y llyffant ar y sgrin. Ffrwydrodd yn syth. Ond clywais sŵn ffrwydro erchyll, slwtslyd arall, llawer uwch o nghwmpas. ANHYGOEL! Roedd y llyffant oedd wedi bod yn llamu ar ôl Ffion bellach yn ddim byd ond darnau mân o wyrdd a phinc ar hyd copa Cader Idris! Ac roedd un o'r darnau wedi glanio ar ben Ffion.

'Ych! O, ma fe'n afiach! Wi ffaelu'i gael e ffwrdd! Ma fe'n stici i gyd! Beth oedd e, Ger? A beth ddigwyddodd?'

Ym . . . shwd ro'n i'n mynd i egluro? Do'n i ddim yn siŵr fy hunan!

'Wel, ti'n gweld y Nintendo hyn?' Dangosais y sgrin iddi. 'Sa i'n deall hyn o gwbl, ond edrych ar y ffigwr bach 'da'r gwallt mewn cynffon.'

Craffodd Ffion ar y sgrin. 'Beth? Fi yw honna? Pwy yw'r ffigwr arall, te?'

'Y llyffant? Mae e wedi mynd.'

'Nage – *hwn*, Ger.'

Bu bron i mi ollwng y Nintendo. Roedd bachgen ar waelod y sgrin nawr hefyd, mewn cot las fel f'un i! Ac roedd dau lyffant mawr sleimi arall ar y ffordd!

'O na! Plis na!' Ond oedd, roedd dau anghenfil arall yn llamu tuag aton ni o gyfeiriad y copa, ac roedd eu harogl afiach yn ein cyrraedd ymhell o'u blaene nhw.

'RHEDA!' sgrechiodd Ffion.

Rhedais. Ac yna cofiais am y Nintendo. Dyw hi ddim yn hawdd saethu llyffantod â'ch bysedd pan chi'n treial rhedeg yr un pryd, ac ro'n i'n methu bob tro. Doedd gyda fi ddim dewis. Stopiais er mwyn gallu anelu'n gywir.

'Ger! Ma fe reit tu ôl i ti!'

Saethais, ac yn sydyn tasgodd y stwff afiach,

drewllyd gwyrdd yn gawod drosof i gyd. Roedd e yn fy ngwallt i, fy llygaid i, fy ffroenau i – bob man.

'O, disgysting neu beth?' ochneidiais, cyn cofio am yr ail lyffant a saethu hwnnw hefyd – a chael cawod stici arall am fy nhrafferth.

'Rheda, Ger! Mae mwy ohonyn nhw'n dod!'

Roedd hi'n iawn, roedd chwech neu saith ohonyn nhw'n llamu aton ni o bob cyfeiriad nawr. Gafaelodd Ffion yn fy llaw a gwneud i fi redeg wrth ei hochr yn ôl i lawr y mynydd.

'Sa i'n gwybod beth sy'n digwydd na pham, ond so nhw'n mynd i stopo!' gwaeddodd.

Ceisiais feddwl wrth redeg. Oedd y dyn bwgan brain yn ryw fath o ddewin? Ac oedd e wedi bwriadu i hyn ddigwydd? Ond pam? Roedden ni wedi rhannu ein Pot Noodles gydag e! Ac os o'n i'n saethu'r llyffantod ar y Nintendo, fyddai mwy yn dod wedyn?

Roedd hi'n amlwg fod Ffion wedi bod yn meddwl am yr un pethe.

'Ger?' gofynnodd hi wrth neidio dros nant. 'Beth wnest ti i wylltio'r dyn bwgan brain?'

'Fi? Dim byd!' gwaeddais yn ôl wrth lithro i lawr y llwybr.

'Mae'n rhaid bo ti wedi gwneud rhywbeth!'

'Alla i ddim meddwl am . . . O! Falle bod 'na

rywbeth – y sbwriel!'

'Pa sbwriel?!'

'Y sbwriel gwates i bore 'ma.'

'BETH?!'

'Ie, ie, wi'n gwybod. "Ddylech chi byth adael dim byd ar ôl ar y mynyddoedd hyfryd 'ma, dim ond ôl eich traed." Dyna wedodd y boi, ontefe? Ond roedd shwd gymint ohono fe!'

'Geraint Lloyd, os na fydd y llyffantod hyn yn dy ladd di, mi fydda i!'

'Sôn am lyffantod . . . maen nhw'n dala lan â ni. Ti'n credu y dylen i eu saethu nhw ar y Nintendo eto?'

'Na! Mae mwy yn dod 'nôl bob tro!'

'Ond maen nhw mor ago— AAAA!'

Roedd un llyffant newydd lamu dros fy mhen i, gan droi yn yr awyr fel rhywbeth mas o ffilm Kung Fu. Roedd e nawr yn edrych i lawr arna i, a'i dafod mawr pinc a du yn stico mas . . . Doedd gyda fi ddim dewis! Pwysais y botymau ar y Nintendo – a SBLAT! Yn sydyn, roedd gen i fwy fyth o lysnafedd drewllyd dros pob modfedd ohono i. Ro'n i'n moyn bod yn sic. Rhwbiais beth o'r llysnafedd mas o fy llygaid a llwyddo i saethu'r gweddill – cyn dechre rhedeg eto.

Gyda byddin o lyffantod yn neidio'n igam ogam

i lawr y mynydd ar ein holau, rhedodd Ffion a finne am ein bywydau. Roedd Llyn Cau yn y dyffryn oddi tanon ni. Lawr â ni fel dau filgi ar steroids.

'Ti'n meddwl dylen i 'ôl y sbwriel?' sgrechiais.

'Odw! Falle! O, sa i'n gwybod! Ond paid cyffwrdd y peiriant 'na 'to!'

Aethon ni i'r fan lle buon ni'n gwersylla, ta beth, a rhedais yn syth at y gwrych. Roedd y bag plastig llawn sbwriel yn dal yno.

''Ma fe!' gwaeddais. 'Beth nawr?'

'Sa i'n gwybod! Rho fe yn dy rycsac a rheda!'

Roedd rhai o'r llyffantod yn nofio ar draws y llyn erbyn hyn!

'Falle dylet ti roi cusan i un o'r llyffantod!' gwaeddais wrth stwffo'r bag i mewn i'r rycsac, 'fel yn y chwedl!'

'Fi? Pam fi? Dy fai di yw hyn i gyd!'

'Ie, ond ti yw'r fenyw!'

'Falle mai menywod yw'r llyffantod! Ond sa i'n mynd i aros ambwytu i ofyn iddyn nhw! Dere!'

Wedi rhedeg eto am bum munud da, roedden ni wedi cyrraedd gât fechan. Wedi neidio drosti, trodd y ddau ohonon ni i weld lle roedd y llyffantod.

Doedd dim golwg ohonyn nhw erbyn hyn. Yr

unig greaduried welen ni oedd ambell ddafad yn edrych arnon ni'n syn.

'Maen nhw wedi mynd . . .' sibrydais.

'Sa i'n trysto nhw, a sa i'n stopo nes bo ni yn y gwaelod!' meddai Ffion, ac i ffwrdd â hi eto.

Erbyn cyrraedd y toiledе cyhoeddus yn y maes parcio, roedd fy nghoese i bron â cholapso. A dim ots am yr arwydd 'Menywod' – dilynais Ffion i mewn, ac eistedd ar y llawr â nghefn yn erbyn y drws.

'Wi'n credu ein bod ni'n ddiogel nawr,' sibrydais. Ro'n i'n gorfod sibrwd achos doedd dim llais gyda fi ar ôl.

Wedi rhai munude'n ceisio cael ei hanadl a molchi'r llysnafedd oddi ar ei hwyneb, eisteddodd Ffion wrth fy ochr a rhoi pwnsh galed i mi yn fy ochr. AW!

'Y twpsyn . . .' ochneidiodd. 'Nawr dere â'r bag sbwriel 'na i fi.'

Wedi iddi ei stwffo i mewn i'r bin sbwriel wrth y sinc, estynnodd ei llaw eto.

'A'r Nintendo,' meddai gan edrych arno. Yna oedodd. 'Wel . . . ma fe mor amlwg,' meddai, 'pam na fyddet ti jest wedi tynnu'r batris mas?'

'Ym . . . ches i ddim amser i feddwl.' Ysgydwodd

ei phen, a thynnu cefn y peiriant yn rhydd. Agorodd ei cheg fel pysgodyn.

'Sdim batris ynddo fe . . .' meddai'n hurt.

'O MAI GOD!' medden ni'n dau fel un.

* * *

Mae'n siŵr nad y'ch chi wedi credu gair o'r stori. Dyna pam benderfynon ni beidio â gweud gair am y peth wrth neb. Ond wi'n gweud wrthoch chi nawr â'm llaw ar fy nghalon – roedd y llyffantod a'r llysnafedd yn wir, mor wir â chi a fi.

Bu'n rhaid i ni daflu'n dillad am fod y llysnafedd yn gwrthod dod bant yn iawn. Ac mae 'da ni brawf arall: mae'r llyffant mawr gwyrdd cynta welson ni yn amlwg iawn, iawn yn y llun olaf dynnodd Ffion ar y mynydd. Edrychwch. Ond chi yw'r bobl cyntaf i'w weld e ar wahân i ni.

Chi'n credu fi nawr?

Dewyrth Dilwyn

Ro'n i'n gwybod bod Dewyrth Dilwyn, brawd bach Dad, yn hollol boncyrs. Dim ond dwywaith ro'n i wedi'i weld o – unwaith mewn priodas, pan aeth o ar goll ar yr A55 a chyrraedd fel roedd pawb arall yn gadael y capel, a'r ail dro pan ddoth o i'n gweld ni ar ôl bod yn teithio yn Affrica am dair blynedd.

Roedd o wastad yn wahanol, ond roedd o hyd yn oed yn fwy gwahanol y tro hwnnw. Doedd o'm wedi siafio na thorri'i wallt coch ers tair blynedd, na chael cawod ers o leia mis, ddeudwn i. Jest i Mam chwydu ar ôl cael cwtsh ganddo fo. Ac roedd o'n gwisgo dillad mor lliwgar, roedd o'n brifo dy lygaid di. Ond roedd o'n gwenu a chwerthin bron drwy'r amser, ac mi ddoth â llwyth o anrhegion i ni. Doedd gan Mam ddim syniad be i'w wneud efo'r powlenni *calabash*, ond roedd Dad a fi wedi gwirioni efo'r *cwli-cwli*, sef rhyw fath o greision wedi'u gwneud allan o gnau mwnci a llwyth o chillis. Roedden ni'n methu siarad am o leia chwarter awr ar ôl eu bwyta nhw!

Mi arhosodd efo ni am ryw dair noson bryd hynny, a mynnu cysgu mewn hamoc yn yr ardd, er ei bod hi'n fis Chwefror. Roedd Mam yn falch o'i weld o'n gadael, achos roedd 'na goblyn o olwg ar y bath ar ôl iddo fo stiwio ynddo fo am dri chwarter awr, ac mi nath yr hwfyr falu ar ôl iddi drio llnau y blew ar ôl iddo fo dorri'i farf efo siswrn torri gwinedd. Ond ro'n i wedi mwynhau ei gwmni o'n arw, ac wedi gwirioni efo'i straeon o.

Ro'n i'n gwybod bod Mam a Dad yn eitha cenfigennus o Dewyrth Dilwyn a'i anturiaethau, a bod ganddyn nhw awydd teithio tipyn eu hunain cyn iddyn nhw fynd yn rhy hen. Doedden nhw ddim wedi gallu mynd yn bell iawn tra oedden nhw'n fy magu i, mae'n debyg . . . dydi Aberaeron a Blackpool ddim cweit fel Rio de Janeiro neu'r *Australian Outback*, nacdyn? Felly doedd o ddim yn syndod pan ddywedon nhw eu bod nhw am dreulio tri mis yn crwydro Awstralia mewn campafan.

'Bril!' gwaeddais. 'Ffantastic! Dwi wastad wedi bod isio gweld wombat!' Ond mi wnes i sylwi'n o handi eu bod nhw'n sbio ar ei gilydd yn rhyfedd . . . ac yn euog.

‘Mae’n ddrwg iawn gen i, Daniel,’ meddai Dad yn y diwedd, ‘ond rydan ni wedi penderfynu y byddai’n haws i ni fynd ar ein pennau ein hunain.’

‘Y? Be dach chi’n feddwl?’

‘Dim ond ni’n dau, dy dad a finna . . .’ eglurodd Mam gan droi’n goch fel bitrwt.

Edrychais ar y ddau a ngheg yn agored, yn methu credu fy nghlustiau.

‘Be?! Dach chi am fynd i Awstralia . . . HEBDDA I?!’

Iawn, dwi’n gwybod mod i’n rhy hen i grio a strancio, ond dyna wnes i. Crio a strancio fel babi am oesoedd. O, dowch ’laen, mi fyddech chitha wedi gwneud yr un peth! Mi wnes i gau fy hun yn fy llofft am ddiwrnod cyfan, gan wrthod siarad efo nhw, bwyta efo nhw – na hyd yn oed sbio arnyn nhw.

‘Ond Daniel,’ meddai Dad drwy’r twll clo, “dan ni’n mynd am dri mis, a fedrwn ni’m gadael i ti golli ysgol. Ac mi awn ni am bythefnos efo ti i Florida haf nesa, dwi’n addo. Gei di weld orcas a nofio efo dolffiniaid a . . .’

Ddywedais i ’run gair o mhen.

‘Daniel, cariad . . . ’ meddai Mam, ‘gei di aros efo Dewyrth Dilwyn tra byddwn ni i ffwrdd.’

Felly, ar ôl gwneud iddyn nhw ddiodde am rai

dyddiau eto, mi es i lawr y grisia a gofyn pryd yn union oedden nhw am fynd, achos ro'n i isio mynd i fyw at Dewyrth Dilwyn.

Rai misoedd yn ddiweddarach – a finna wedi cael fy sbwylio'n rhacs gan Mam a Dad am eu bod nhw'n teimlo'n euog – roedden nhw'n codi llaw arna i a Dewyrth Dilwyn wrth gychwyn am Lundain. Roedd Mam yn crio, ond do'n *i* ddim. Ro'n i'n gwenu fel giât. Mae tŷ Dewyrth Dilwyn yn anhygoel – math o *chalet* pren mawr yng nghanol coedwig ydi o. Mae ganddo fo baneli solar a melin wynt i gynhyrchu trydan; tŷ bach 'gwyrdd' sy'n drewi braidd, nes i ti ddod i arfer efo fo; mae'r dŵr yn dod o ffynnon; mae ieir a moch yn bwyta ei sbarion bwyd o, ac yn yr ardd a'r tŷ gwydr mae o'n tyfu pob dim dan haul. Roedd o hyd yn oed wedi gosod tŷ pren yn uchel i fyny coeden i mi, efo ysgol raff i mi fedru dringo i fyny – a thrydan a laptop i mi gael mynd ar y we yno! Wei-hei! Dim ond un rheol oedd ganddo fo i mi – peidio byth â busnesa yn ei labordy o.

Pan holais i pam, yr unig ateb ges i oedd, 'Cyfrinach, Daniel, cyfrinach.'

Dach chi'n gweld, dyn syniadau ydi Dewyrth Dilwyn. Dydi o ddim wedi gwneud ei ffortiwn, ond mae o wedi gwneud yn eitha da allan o'i wahanol ddyfeisiadau. Mae o'n mynnu mai fo gafodd y syniad am y radio weindio gynta, ond ei fod o'n rhy hwyr yn gwneud cais am y patent. Ac mi feddyliodd o flynyddoedd yn ôl am weipars car sy'n dod mlaen dim ond wrth iddyn nhw deimlo glaw ar ffenest y car, ' . . . ond fethais i wneud iddyn nhw weithio'n iawn mewn pryd, 'sti'. A nath o drio gneud sbectol oedd yn gallu cyfieithu llyfr wrth i ti ei ddarllen o, ond pan wrthododd y sbectol ddallt bod angen treiglo geiriau yn Gymraeg, mi lyncodd ful efo hi a mynd drosti efo'i landrofyr. Ond fo pia'r teclyn plastic sy'n gadael i chi dywallt potel fawr o Coke efo un law, a'r botel dŵr poeth sy'n canu hwiangerddi i suo plant i gysgu – a llwyth o bethau eraill.

Y peth ydi, pan fydd Dewyrth Dilwyn yn cael syniad, dyna ni – mae o'n anghofio am bob dim arall yn y byd. Mi fydd wrthi drwy'r dydd a'r nos yn gweithio ar y ddyfais, yn anghofio cysgu, heb sôn am siafio a newid a molchi – a bwyta.

'Dewyrth Dilwyn?' medda fi un noson, drwy dwll clo y labordy, 'dach chi'n iawn? Dach chi'm 'di bwyta ers tridia.' A bod yn onest, erbyn hynna ro'n inna wedi hen laru ar cael cornfflêcs i bob pryd bwyd, ac ro'n i ar fin llwgu.

‘Y? Nacdw? O. Wel, gwna rwbath i mi, ta.’

‘Fi?! Ond fedra i’m cwcio!’

‘Fedri di neud tôst?’

‘Medra.’

‘Wel gwna rwbath ar dôst i mi, ta. Cnocia’r drws pan mae o’n barod – OND PAID Â DOD I MEWN!’

Wel, dwi’m yn Gordon Ramsay o bell ffordd, ond mae unrhyw ffŵl yn gallu gwneud tôst, tydi? Ond be i’w roi ar y tôst ydi’r broblem, yndê? Roedd ’na gwpwl o duniau o ffa pob yn y cwpwrdd, felly gawson ni’r rheiny i frecwast a chinio (fo ar ei ben ei hun yn y labordy a finna yn y gegin efo’r cathod). Ond dim ond jam ar dôst gawson ni i swper – ar ôl i mi dynnu’r llwydni blewog oddi ar dop y jar. Y diwrnod wedyn gawson ni iogwrt ar dôst, wedyn mwstard, wedyn cyrains duon efo chydig o siwgr. Wedyn ’nes i gofio am yr ieir a llwyddo i neud rhyw lun ar wyau wedi’u ffrio i’w ploncio ar dôst. Roedden nhw fatha rwber, ond yn well na dim, ac yn reit flasus efo digon o sôs coch. Ond ar ôl chwe diwrnod, doedd na’m briwsionyn o fara ar ôl na dim tuniau na jariau o fath yn y byd yn y cypyrddau. Ac ro’n i wedi bwyta gymaint o wyau nes mod i’n dechra teimlo fel iâr.

Es i’n ôl at dwll clo’r labordy a gweiddi, ‘Dewyrth Dilwyn? Does ’na’m bwyd ar ôl yn y lle ’ma.’

‘Y? Sut felly? Be ti ’di bod yn neud efo fo, Daniel?’

‘Ei fyta fo, yndê! Dach chi’m ’di dod allan o fan’na ers wythnos!’

Tawelwch.

‘Wel cer i’r pentre i brynu rwbath, ta. Mae ’na bres yn y tebot coch.’

‘Y? Ond mae o’n bell!’

‘Y tebot coch? Nacdi tad, jest wrth ochor y popty.’

‘Naci, y pentre!’

‘O, duwcs, cer â’r Land Rover.’

‘Ond Dewyrth Dilwyn! Dim ond tair ar ddeg ydw i!’

‘Ia? O. Wel, mae ’na feic yn y garej, a phwmp yn rhywle. A chofia ddod â llwyth o lwcosêd yn ôl efo chdi.’

Wedi hanner awr o chwilio am y pwmp, ac ugain munud o bwmpio’r teiars, ro’n i’n chwys boetsh. Ac wedi pedlo ar hyd y llwybr garw am filltiroedd, ro’n i jest â nogio. Ond mi wnes i fwynhau gwario pres Dewyrth Dilwyn ar bob math o bethau bendigedig i’w bwyta – a hawdd eu coginio. Y broblem wedyn oedd pedlo’n ôl i’r tŷ yn y coed efo’r holl bwysau ar fy nghefn. Mae tuniau ffa pob yn blincin trwm, dalltwch! Erbyn i mi gyrraedd y tŷ roedd hi'n dechrau tywyllu.

Ges i gawod hir, boeth (mae'r paneli solar yn gweithio'n ffantastic) ac wedyn dechra gneud swper. Wel, swper a chinio mewn un oedd o, mewn gwirionadd: caws a banana ar dôst efo pecyn o greision a chacen siocled i bwdin. Es i â bwyd Dewyrth Dilwyn at ddrws y labordy a chnocio. Dim ateb.

'Dewyrth Dilwyn? Dach chi yna?'

Tawelwch. Mi wnes i gnocio cwpwl o weithiau eto a chlywed dim. Ro'n i'n dechra poeni erbyn hyn. Mi allai o fod wedi gollwng test tiwb ar lawr, llithro ar y stwff oedd ynddo fo a disgyn a chnocio'i ben. Efallai 'i fod o'n gorwedd mewn pwll o waed ers meitin . . . o, raslas . . . efallai 'i fod o ar fin marw! Cydiais yn nolen y drws, ac er mawr syndod i mi doedd o ddim wedi'i gloi. Stwffiais fy mhen i mewn i'r labordy.

Yr ogla darodd fi gynta. Ogla wyau drwg a sanau budron (oedd wedi dechrau tyfu madarch), ac ogla dyn oedd heb gael bath ers oesoedd wedi'u cymysgu efo ogla rhywbeth yn pydru, ac ogla sylffiwric asid ac ammonia. Oedd, roedd o'n hollol afiach! Jest i mi gyfogi.

Ar ôl rhoi fy llaw dros fy nhrwyn a ngheg, ro'n

i'n gallu sbio o nghwmpas yn iawn. Iechyd, am lanast! Roedd fel tasa 'na fom wedi hitio'r lle. Gwydrau, llyfrau, taflenni papur yn sgribls ac yn rhifau i gyd, platiau (efo rhywbeth wedi pydru ar dôst) ar hyd ei gilydd ym mhob man, a phyllau o hylifau anghynnes yr olwg dros y llawr a'r waliau. Roedd 'na gêbls cyfrifiadur yn boddi mewn jam a blew, a chocrotshys yn rhedeg ar hyd bob dim – mi fysa Mam wedi cael ffit biws wrth weld y lle.

Ond doedd 'na'm golwg o Dewyrth Dilwyn. Yr unig beth byw yn y labordy (ar wahân i'r cocrotshys) oedd chydig o lygod gwyn mewn caetsh, a chwningod blin mewn caetsh arall. Roedd un caetsh yn fwy o lawer na'r lleill, ond roedd hwnnw'n wag a'r drws yn llydan agored. Roedd un o ffenestri'r labordy ar agor hefyd, ond er ei bod hi'n rhewi yno ei gadael ar agor wnes i i gael gwared ar rywfaint o'r drewdod. Ac ar ôl chwilio am Dewyrth Dilwyn ym mhobman, es i ati i lanhau caetshys y llygod a'r cwningod, achos roedd hi'n berffaith amlwg nad oedd fy annwyl ewyrth wedi'u glanhau nhw erioed. Dim rhyfedd bod y lle'n drewi!

Y caetsh gwag oedd yn drewi fwya, a doedd gen i'm syniad pa anifail oedd yn gneud baw fel yna. Doedd o'n sicr ddim yn gi – a deud y gwir, roedd o'n debycach i faw person. Roedd y caets yn hen ddigon mawr i ddal rhywbeth fel gorila. Do'n i'm isio gorfod dadansoddi'r peth, a doedd Dewyrth Dilwyn ddim o gwmpas i mi ofyn iddo fo. Oedd o wedi mynd am dro i'r awyr iach, tybed?

Es i allan i'r coed i weiddi, ond ches i'm ateb. Ond mi glywais i rywbeth yn symud yn y canghennau uwch fy mhen – rhywbeth mwy na deryn, ond llai na dyn mawr yn ei dri degau.

'BE SY 'NA?' gwaeddais. Wrth sbio i fyny mi welais gysgod yn neidio drwy ganghennau ucha'r coed. Roedd hi'n anodd bod yn siŵr, ond roedd o'n ofnadwy o debyg i fwnci – un mawr, blewog. Ac roedd o'n gneud sŵn tebyg i fwnci hefyd . . . ac – yyyyyy! – yn gneud ei fusnes ar fy mhen i! Y sglyfath! Ond ro'n i newydd weld baw fel yna! Mwnci oedd yn arfer bod yn y caetsh, mae'n rhaid – y mwnci yma – ac mae'n rhaid ei fod o wedi dianc rhywsut a Dewyrth Dilwyn wedi mynd allan i drio'i ddal o.

'Dewyrth Dilwyn! Mae'r mwnci fan hyn! Dowch!'

Ac i ffwrdd â fi i redeg ar ôl y mwnci oedd yn swingio o gangen i gangen yn chwerthin ar fy mhen i. Ond doedd gen i'm gobaith mwnci o ddal mwnci, nagoedd? Ond do'n i'm yn hollol siŵr mai mwnci oedd o. Roedd o gymaint mwy nag unrhyw

fwnci welais i ’rioed mewn sŵ, ac er ei bod hi’n anodd deud a hithau’n nos, dwi bron yn siŵr mai coch oedd y blew ’na . . . Orang-wtan, o bosib?

Rois i’r ffidil yn to yn y diwedd a mynd yn ôl i’r tŷ. Croeso i Dewyrth Dilwyn ddal ei orang-wtan ei hun. Ei fai o oedd o am beidio â llnau’r caets; mae’n siŵr bod y creadur wrth ei fodd yn yr awyr iach ac wedi mynd ar ei ben i’r nant agosa am wash a shampŵ . . . am wn i.

Awr yn ddiweddarach, ro’n i ar ganol gwylio DVD *Alien 2* pan glywais i sŵn traed wrth y drws. Dewyrth Dilwyn o’r diwedd! Ond roedd ’na goblyn o olwg arno fo . . .

‘Ble dach chi ’di bod drwy’r nos, y? A . . . a ble mae’ch dillad chi? Be dach chi’n neud efo sach am eich canol?!’

Dyna’r cwbl oedd ganddo fo amdano – dim crys, dim sgidia, dim byd – dim ond hen sach yn cuddio’i grown jewels o.

‘Ym . . . es i am dro – wel, i redeg, am dipyn o awyr iach – a ’nes i chwysu braidd, felly dyma fi’n penderfynu nofio yn yr afon . . . ond ’nes i anghofio lle adewais i nillad . . .’

Typical! Pwy ond Dewyrth Dilwyn fasa’n gneud y fath beth?!

‘O diar,’ medda fi gan ysgwyd fy mhen. ‘Awn ni i

chwilio amdanyn nhw fory, ta. Ond be am y mwnci mawr?'

'Y . . .? Mwnci mawr? Pa fwnci mawr?'

'Y mwnci, neu'r orang-wtan, neu be bynnag oedd yn y coed – hwnnw oedd yn y caetsh cyn hynny . . . '

'Paid â bod yn wirion, doedd 'na'm mwnci yn y caetsh, siŵr. Mwnci?! Fan hyn? Ha ha! Ti'n gweld petha, breuddwydio – a dim rhyfedd, ar ôl gwylio ffilmiau fel honna drwy dydd . . . Rŵan, cer i dy wely reit handi, mae'n hwyr.'

'Ond . . .'

'RŴAN!'

Pan fydd Dewyrth Dilwyn yn flin, mae hynny'n reit amlwg. Ac roedd 'na olwg isio waldio rhywbeth arno fo heno. A deud y gwir, do'n i'm yn siŵr pa un fyswn i'n rhoi pres arno fo mewn ffeit, Dewyrth Dilwyn neu'r *Alien* – neu Sigourney Weaver.

Es i i ngwely.

Roedd o'n iawn, ro'n i *yn* gwylio DVDs drwy dydd, rhai digon od. Ond ro'n i'n eitha siŵr mod i *ddim* wedi dychmygu'r mwnci mawr 'na. Wedi'r cwbl, ro'n i'n dal i fedru ogleuo'i faw o yn fy ngwallt i, hyd yn oed ar ôl dwy ddos o siampŵ!

Chlywes i fawr ddim gan Dewyrth am ddyddiau wedyn, dim ond ambell waedd neu wich a rhywfaint o sŵn bangio o'r labordy. Mi fues i'n darllen yr ebyst roedd Mam a Dad yn eu gyrru o Awstralia bob hyn a hyn (dau byncjar hyd yma, Dad wedi llosgi'i glustiau yn yr haul, a Mam wedi sylweddoli ei bod hi'n rhy hen i drio dysgu syrffio), ac mi fues i'n beicio cryn dipyn er mwyn cael rhywbeth i'w wneud . . . ond weles i byth mo'r mwnci mawr wedyn.

Ond un bore, mi ddoth Dewyrth Dilwyn allan o'r labordy, yn wên o glust i glust. 'Dwi'n haeddu anferth o frecwast mawr! Ti ffansi?' A chyn i mi ateb, aeth ati i dyrchu yn y rhewgell a gneud gwledd o facwn, wy, bara saim, ffa pob, tomatos (o'r tŷ gwydr) a madarch (o ryw sied tyfu madarch na wyddwn i ddim amdani) i'r ddau ohonon ni. Roedd o'n fendigedig.

'Petha'n mynd yn dda, felly?' gofynnais wrth ei wylio'n llyfu'i blât yn lân.

'Ydyn tad, gwych iawn. Dwi bron yna, sti!'

'Bron yn lle?'

'Bron â chyflawni'r arbrawf mwya 'rioed, Daniel! Mi fydd yr WWF wedi gwirioni efo fi!'

'Byddan? Pam?' Doedd gen i'm syniad sut fath o arbrawf fyddai'n plesio reslars, ond ro'n i ar dân isio gwybod.

'Fedra i'm deud wrthat ti eto. Cyfrinach, Daniel,

cyfrinach. A go brin y bysat ti'n dallt, beth bynnag.'

'O, diolch. Charming. Ga i gliw o leia?'

'DNA, Daniel, DNA.'

'Be? Dim-no-awê? Neu *do not answer*?'

'Ha haa! Doniol iawn, Daniel, doniol iawn! Naci.'

'Dewyrth Dilwyn, dwi'm yn hollol dwp, iawn? Dwi'n gwbod be 'di DNA.'

'O? Be ydi o, felly?'

'Ym . . . stwff sy mewn ffosils sy'n gallu gneud i rywun ddod â deinosoriaid yn ôl yn fyw.' Edrychodd Dewyrth Dilwyn yn hurt arna i. 'Welis i *Jurassic Park* . . .' eglurais yn wan. 'Ond dwi'm yn gweld be sy gan hynny i neud efo reslars chwaith.'

'Reslars?'

'Ia, pobol fel John Cena a'r Undertaker.'

'Pwy?! Daniel, ti wedi 'nrysu i'n lân rŵan.'

'Chi soniodd am yr WWF!'

'Ia, yr World Wildlife Fund! WW*E* ydi'r enw ar ffederasiwn y reslars rŵan – World Wrestlers Entertainment – ers 2002, os cofia i'n iawn. Roedden nhw wedi bod yn ffraeo dros yr hawl i ddefnyddio'r llythrennau ers diwedd y 1980au.'

'O, oedden. Cofio rŵan.'

Edrychodd Dewyrth yn amheus arna i. 'Wel, ti wedi llwyddo i fwydro mhen i'n rhacs, felly dwi'n mynd ’nôl at fy ngwaith.’ Cododd a rhoi ei blât budur yn y sinc. ‘A dim busnesa, reit? Mae’r dyddie nesa ’ma’n mynd i fod yn rai hollbwysig – allweddol. Dim bwys be glywi di drwy’r wal ’na, paid â dod i mewn – iawn?’

‘Iawn . . . ond . . . dach chi’m yn mynd i chwarae duw efo deinosoriaid, nacdach?’

‘Be?!’ Chwarddodd yn harti. ‘Nacdw, Daniel. Fydd ’na ’run tyrranosaurus rex yn dy fyta di’n dy gwsg heno, dwi’n addo. Ond yn y cyfamser, mae pob dim yn gyfrinach, Daniel, cyfrinach.’

Argol, oedd y nodwydd wedi sticio, ta be?!

Cerddodd at y drws ac yna galw dros ei ysgwydd: ‘Deoxyribonucleic acid.’

‘Y?’

‘Dyna ydi DNA. Hwyl.’

Ro’n i methu cysgu’r noson honno, yn trio gwneud synnwyr o’r hyn ddeudodd Dewyrth. Pam fysa’r mudiad bywyd gwyllt wrth eu bodd efo fo? Be goblyn oedd o’n neud? A pham oedd o’n cyboli efo stwff peryg fatha DNA? Doedd o’m wedi gweld be ddigwyddodd i Richard Attenborough – fel John Hammond – yn *Jurassic Park*?

Ond mae’n rhaid mod i wedi cysgu yn y diwedd, achos mi ges i neffro gan y sŵn mwya echrydus.

Roedd o'n swnio fel tase'r labordy'n cael ei falu'n rhacs – bangio, waldio, rhuo, clecio, chwalu . . . Ond roedd Dewyrth wedi deud wrtha i'n ddigon clir am gadw draw, yn doedd? Felly rois i fy iPod yn fy nghlustiau a mhen dan y gobennydd. Mi ddeffrais i eto'n nes ymlaen yn meddwl mod i'n clywed defaid yn brefu yn y pellter. Ond mi wnes i benderfynu mai breuddwydio ro'n i, ar ôl i mi gyfri cymaint o'r bali pethau wrth drio mynd 'nôl i gysgu.

Wnes i'm deffro tan wedi deg y bore wedyn, a phan lusgais i fy hun i lawr i'r gegin, pwy oedd yno ond Dewyrth Dilwyn – yn edrych yn ryff a deud y lleia.

'Ydach chi isio i mi neud brecwast i chi?' gofynnais.

'Mmm?' Cododd ei ben yn freuddwydiol. 'O, sgen i fawr o awydd bwyd, deud gwir. Ond ia, iawn. Tiwna ar dôst, os gweli di'n dda.'

'Tiwna? I frecwast?'

'Ia, pam lai? Dyna dwi ffansi. Pam? Oes 'na broblem?'

'Wel oes, does 'na'm tiwna ar ôl.'

'Wel samon, ta.'

Felly mi gafodd samon o dun ar dôst ac aeth i'w wely'n syth wedyn – ac aros yno drwy'r dydd. Ar ôl gwrando arno'n chwyrnu am ryw ugain munud, allwn i ddim peidio â rhoi mhen drwy ddrws y labordy. Wel . . . roedd o ar agor, wedi'r cwbl. Roedd y lle'n llanast llwyr eto, pob dim dros bob man, a phob potel a darn o wydr wedi malu'n deilchion.

Ond y tro yma, roedd 'na farciau crafu mawr ar hyd y waliau, rhai dwfn hefyd, ac olion gwaed – a blew gwyn dros y lle. Y cwningod, efallai? Roedd y marciau crafu'n llawer rhy fawr i gwningen fod wedi gallu eu gwneud, ond do'n i'm yn gweld ffordd arall o egluro'r blewiach gwyn ym mhobman. Ond pan es i draw i weld y cwningod, roedd pob un yn dal yno, dim ond eu bod nhw'n edrych yn nerfus, ac wedi hel yn un twmpath reit ym mhen draw'r caetsh. Ond ro'n i bron yn siŵr bod 'na lygoden ar goll . . .

'CLAAANG!' Cloch y drws ffrynt. Brysiais i'w ateb, ond dim ond y postmon oedd yno.

'Bore da!' meddai hwnnw. 'Mwy o barseli i dy yncl di. Arwydda'n fan'ma, os gweli di'n dda . . . diolch. Sut mae *o* y dyddia yma, beth bynnag?'

'Iawn. Wedi blino braidd bore 'ma.'

'Wrthi drwy'r nos eto, oedd o? Diawcs . . . sgwn i glywodd o rwbath o gaeau Tŷ Engan?'

'Y?' Tŷ Engan oedd y ffarm agosaf aton ni – roedd eu caeau nhw jest ar draws yr afon.

'Ia, ufflon o le wedi bod yno neithiwr. Rhwbath wedi lladd o leia ddwsin o ddefaid sti, golwg mawr arnyn nhw . . . un ai roedd o'n anferth o gi mawr – neu'r black panther 'na eto, yndê? Nid mod i'n credu yn hwnnw fy hun chwaith . . . Ond wsti be? Mae 'na betha rhyfedd yn mynd ymlaen yn yr ardal 'ma. Roedd Tŷ Pella'n cwyno wythnos dwytha bod rhywun wedi bod yn eu perllan nhw a dwyn eu fale a'u heirin i gyd. Bob un wan jac, cofia! A Meri druan wedi meddwl gneud tunnell o jam a tshytnis efo nhw at y sioe sir. Bechod!'

Reit, roedd pethau wedi mynd yn rhy bell rŵan. Os oedd fy annwyl yncl yn gyfrifol mewn rhyw ffordd am adael i ryw anghenfil ladd dwsin o ddefaid diniwed, roedd yr arbrawf hurt 'ma'n gorfod stopio. Be goblyn oedd o'n neud? Chwarae efo DNA anifeiliaid peryglus, roedd hynny'n bendant. Felly y munud y diflannodd fan y postmon drwy'r coed, es i draw at lofft Dewyrth Dilwyn a chnocio'r drws. Dim ateb. Mi gydiais yn nolen y drws, ond roedd o wedi cloi. Mi rois i hergwd i'r drws, a gweiddi a sgrechian am oesoedd, ond y cwbl allwn i ei glywed oedd y lwmp yn chwyrnu'n braf.

Mi fues i'n cadw golwg ar ddrws ei lofft o drwy'r dydd a nos, ond ddoth neb allan. Erbyn un y bore, allwn i ddim cadw fy llygaid yn agored, felly es i i ngwely. Ac am 3.33, mi ges fy neffro gan synau rhyfedd yn dod o'r labordy. Roedd drws llofft Dewyrth Dilwyn yn llydan agored – a neb yno. Fo oedd yn y labordy, felly. Wedi cerdded i lawr yn ofalus mi rois fy nghlust wrth y twll clo. Synau gwichian – a fflapio. Fflapio?! Reit, roedd angen i mi roi stop ar hyn. Roedd y drws wedi cloi, ond ro'n i'n foi reit beryg ar y cae rygbi ac ro'n i wedi sylwi y bore hwnnw bod un o'r sgriws yn rhydd. Felly mi gamais yn ôl, anadlu'n ddwfn a rhedeg nerth fy nghoesau at y drws a rhoi ysgwydd yn galed yn ei erbyn. CRAC – AW! – BANG. Ro'n i ar fy mol ar ben y drws ar lawr y labordy, a f'ysgwydd i'n brifo'n uffernol.

Ac roedd na bâr o fflipers o flaen fy nhrwyn i – dwy droed lwyd efo tri gewin hir, eitha peryg yr olwg. Codais fy mhen yn araf. Pengwin! Un mawr! Ac roedd ei ben o ar un ochr yn sbio arna i. Roedd ganddo fo big arbennig o hir, ac roedd ei fol mawr gwyn yn troi'n felyn ac oren o dan ei ên o. Pengwin brenhinol – *king penguin*. Waw! Ro'n i'n gwybod mai'r un brenhinol oedd o, nid yr *emperor*, am ein bod ni wedi gneud prosiect ar bengwins yn yr ysgol gynradd, a dim ond y rhai brenhinol oedd y siâp yna ac â darn oren siâp deigryn wrth eu clustiau. Nefi, roedd o'n smart. Ond be goblyn oedd o'n neud yn labordy Dewyrth Dilwyn? A ble oedd hwnnw? A be o'n i i fod i neud efo'r pengwin nes i Dewyrth ddod i'r golwg?

Mi benderfynais ei fod o angen dŵr. Felly mi gydiais yn ofalus yn ei ffliper – ffliper oedd yn 'fraich' iddo fo, nid un o'i draed o – a'i arwain i'r stafell molchi lawr grisia. Roedd 'na fath yn fan'no. Mi lenwais y bath at ei hanner a gwthio'r pengwin i mewn iddo fo. Roedd hynny'n dipyn o job gan ei fod o mor drwm ac yn fflapian fel peth gwirion. Ond unwaith iddo fo deimlo'r dŵr am ei ganol roedd o wrth ei fodd, yn fflapian a dowcio'i ben dan y dŵr. Roedd o'n edrych yn reit hapus, felly mi wnes i gau'r drws a mynd i chwilio am dun o samon iddo fo. Roedd o wrth ei fodd efo hwnnw, felly mi wnes i gamu'n ôl yn ara bach a chloi'r drws o'r tu allan, a gwthio cwpwrdd yn ei erbyn – jest rhag ofn.

Es i rownd y tŷ a'r siediau i gyd yn chwilio am Dewyrth Dilwyn. Ond doedd 'na'm golwg ohono fo. Doedd o ddim yn cofio nad oes neb i fod i adael

plentyn dan 14 oed yn y tŷ ar ei ben ei hun? Mi fyddai Mam am ei waed o tase hi'n cael gwybod. Roedd y pengwin yn dal i fflapian yn hapus yn y bath, felly es i'n ôl i ngwely.

Y bore wedyn, pan es i lawr i neud brecwast, roedd 'na sŵn bangio mawr yn dod o'r stafell molchi. Roedd y cwpwrdd wedi symud chydig am fod Dewyrth Dilwyn, o bawb, yn trio gwthio'r drws yn agored – o'r tu mewn. Ac roedd o'n noethlymun ar wahân i liain am ei ganol, ac mor oer nes bod ei ddannedd o'n clecian, y creadur. Mi wthiais y cwpwrdd o'r ffordd iddo fo gael dod allan o'r stafell molchi. Doedd 'na'm golwg o'r pengwin yn unlle. 'Dewyrth Dilwyn . . .? Be sy'n mynd mlaen 'ma? Ble mae'r pengwin? A pheidiwch â meiddio deud "*cyfrinach*"!'

Doedd ganddo fo fawr o ddewis bellach, nagoedd? Wedi iddo fo gael cyfle i gynhesu a newid, mi ges i'r hanes i gyd ganddo fo – ond roedd hi'n stori hir a chymhleth, felly dyma'r uchafbwyntiau i chi:

1. Roedd o wedi bod yn trio gneud cymysgedd efo DNA anifeiliaid prin a'r llygod bach yn y caets.

2. Mae o'n foi blêr, ac mi fu'n ddigon dwl i gadw potelaid o'r gymysgedd 'ma drws nesa i'w botel

lwcosêd. Do, mi gymerodd o swig o'r stwff DNA drwy ddamwain – a throi yn orang-wtan.

3. Dim ond am rai oriau fuodd o'n orang-wtan (digon o amser i wneud ei hun yn sâl wrth stwffio afalau ac eirin o berllan Tŷ Pella). Gan fod y stwff yn ei gyfansoddiad o bellach, roedd ganddo fo ofn troi'n orang-wtan eto, felly mi fuodd o'n trio newid y gymysgedd yn ara bach i leihau'r effaith, a chymryd sip bob hyn a hyn. I ddechrau, roedd o'n meddwl ei fod o'n gweithio – mi drodd yn gwningen un noson ac yn llygoden ryw noson arall – a dim byd y noson wedyn. Felly roedd o'n meddwl ei fod o'n ddiogel. Ond doedd o ddim – mae'n rhaid ei fod o, yn ystod y noson wyllt fel orang-wtan

('sori am . . . ym . . . blopian ar dy ben di,' medda fo!), pan aeth y poteli a'r tiwbiau dros y siop i gyd, wedi drysu labeli'r gwahanol samplau o DNA. Doedd troi'n arth wen ddim yn brofiad pleserus iawn, mae'n debyg.

'A deud y gwir, roedd o'n erchyll!' meddai Dewyrth Dilwyn gyda dagrau yn ei lygaid. 'Y defaid druan 'na . . . Ac mae gen i ofn troi'n *panthera tigris* (teigar) . . . neu'n *diceros bicornis* (rheino du) . . . neu'n *balaenoptera musculus* (morfil glas). Mi fysa'r tŷ 'ma'n malu'n rhacs wedyn!'

Meddwl am y teigar yn fy malu *i*'n rhacs o'n i.

'Bydd raid i chi roi stop ar hyn!' cyhoeddais ar dop fy llais. 'Rŵan!'

'Dwi'n trio ngore glas!' gwaeddodd yn ôl.

'Rhaid i chi drio'ch gore *piws*, ta!'

'Paid â bod yn wirion! Mae hyn yn fater difrifol, Daniel.'

'Dwi'n gwbod hynny, siŵr – achos *fi* fydd y peth cynta welith y teigar 'de?!'

'Iawn. Mi fydd jest raid i mi feddwl eto. Mae'n rhaid bod 'na rywbeth neith negydu effaith strontiwm 768 . . . Driwn ni bob math o bethau

. . . mi gymysga i wahanol bethau yn y labordy, cymysga dithau bethau'n y gegin . . .'

'Fi?! Cymysgu be?'

Ond roedd Dewyrth Dilwyn wedi diflannu am y labordy, yn siarad efo fo'i hun, yn mwmian rhywbeth am botasiwm a ffosfforws. Agorais ddrysau'r cwpwrdd bwyd a dechrau hel y *bicarbonate of soda*, mêl, *cream of tartar*, siwgr brown, triog du . . . wel, dach chi byth yn gwybod, nacdach?

Mi fuon ni wrthi am ddyddiau, efo Dewyrth Dilwyn druan yn yfed pethau oedd yn gwneud iddo fo gyfogi, chwydu a chwysu. Mi drodd yn armadilo am bum munud, oedd yn dipyn o sioc, ac mi drodd un law yn ffliper am chwarter awr. Ond doedd ddim byd yn gweithio. Ac roedd o wedi trio pob affliw o bob dim oedd ganddo fo yn y labordy.

Roedd Dewyrth Dilwyn yn crio erbyn hyn, yn beio'i hun, beio'r byd, beio'r WWF, beio fi . . . 'Pam na fedra i ddod o hyd i'r cymysgedd cywir?' wylodd. 'Mi ddylai fod yn syml – y pethau symla sy'n gweithio orau gan amlaf. Ond be ydi hwnnw?! Dwi bron yn siŵr mod i angen potasiwm a ffosfforws . . . ond sut? Efo be arall? A faint ohono fo?!'

‘Ffosfforws? Mae hwnnw mewn matsys a thân gwyllt, tydi?’ gofynnais.

‘Ydi, ond dwi’m yn bwriadu rhoi fy hun ar dân!’ atebodd Dewyrth Dilwyn yn bigog. ‘Mae o mewn pâst dannedd hefyd – a chyn i ti ofyn, do, dwi wedi bod yn llyncu hwnnw fel peth gwirion hefyd!’ Chwythodd ei drwyn, sychu’i ddagrau a llusgo’i hun yn ôl am y labordy gan fwmblan rhywbeth am ‘lembo gwirion, gwirion, gwirion’ a ‘potasiwm a ffosfforws’ dan ei wynt.

Y creadur. Ro’n i wir yn teimlo biti drosto fo, ond do’n i ddim yn gweld be allwn i ei wneud i’w helpu. Penderfynais ddringo i fyny i’r tŷ pren yn y goeden i chwarae gêmau ar y laptop. Ond ar ôl rhyw ugain munud, ro’n i methu canolbwyntio o gwbl. Edrychais ar y gofod Google yng nghornel ucha’r sgrin, a meddwl . . . tybed? Roedd fy athrawon i wastad wedi rhyfeddu at fy sgiliau gwglo i, ac ro’n i’n gwybod bod Dewyrth Dilwyn yn ormod o snob gwyddonol i feddwl ei ddefnyddio. Dechreuais deipio p-o-t-a-s-s-i—

Hanner awr yn ddiweddarach, roedd gen i wên fel giât ar fy wyneb. ‘Y pethau symla sy’n gweithio orau gan amlaf’ ddywedodd o, yndê? Wel, roedd hyn mor syml roedd o’n hurt! Pwy fyddai’n meddwl bod potasiwm, ffosfforws a nitrogen i’w cael mewn rhywbeth mor hawdd dod o hyd iddo fo? Ond fyddai Dewyrth byth yn cytuno i fwyta'r ffasiwn beth! Oni bai mod i'n cuddio'r prif gynhwysyn rywsut, wrth gwrs . . . Na, Dewyrth Dilwyn druan, fyddai hynny ddim yn deg. Ond roedd o wedi llyncu pethau gwaeth yn barod, doedd?

Hmm . . . es i'n ôl i'r tŷ i nôl bwced a rhaw.

Mi wnes i baratoi cymysgedd arbennig i'w daenu ar dôst iddo fo y noson honno, efo llwyth o bupur du, pâst cyrri, nionod a thomatos i guddio blas y stwff o'r bwced. Ddalltodd Dewyrth ddim be oedd o – a deud y gwir, mi ddywedodd ei fod o'n flasus iawn. Blas mwy, meddai. Felly mi gafodd fwy.

'Dewyrth Dilwyn?' medda fi wrth olchi'r llestri, 'dwi bron yn siŵr y bydd y stwff rois i ar eich tôst chi'n gweithio, felly peidiwch â chymryd dim byd arall eto heno, iawn? Na fory chwaith.'

Edrychodd arna i'n amheus am eiliad, ond ro'n i'n gallu gweld ei fod o'n rhy flinedig i gega.

'Iawn, ond . . .'

'A pheidiwch â gofyn i mi be oedd o chwaith. Weithie, mae jest angen i chi ymddiried mewn pobl eraill, yn does?'

Ro'n i'n teimlo'n euog yn deud hynna, ond aeth i'w wely fel oen bach.

A'r noson honno – ddigwyddodd dim byd. Wnaeth Dewyrth ddim troi'n anifail (ddim hyd yn oed yn oen bach!). Na'r noson wedyn chwaith – na'r un ar ôl hynny. Ar ôl iddo fo wneud profion ar ei waed a'i galon a bob dim, mi ddoth ata i yn wên o glust i glust.

'Mae o wedi gweithio o'r diwedd, Daniel! Diolch o galon i ti – rwyt ti wedi achub fy mywyd i, fy ngyrfa i – bob dim! Ond dwed wrtha i, be'n union oedd yn y gymysgedd roist ti ar y tôst 'na?'

Gwenais yn ôl arno. '*Cyfrinach*, Dewyrth Dilwyn. *Cyfrinach* . . .'

Do'n i'm yn mynd i ddeud wrtho fo mai tail ceffyl oedd o, nago'n?